Mes histoires fantastiques

Textes :

À l'école des monstres .... *Marie-Laure Cathelin*
L'elfe et le lac vert .... *Marie-Laure Cathelin*
Les ailes de Capucine .... *Marie-Laure Cathelin*
Fantôme motivé cherche maison à hanter .... *Marie André*
La sorcière aux cheveux de cristal .... *Marie-Laure Cathelin*
Le dragon est enrhumé .... *Irena Aubert*
Pauvre géant ! .... *Annie Murat*
Le trésor du farfadet .... *Noélie Copain*
Histoire des contes de fées .... *Noélie Copain*
La fillette qui rétrécit .... *Marie André*
Une très vilaine fée .... *Noélie Copain*

Piccolia

À l'école des monstres

À l'école des monstres, on apprend à parler avec une grosse voix, à se cacher dans les recoins et à faire des ombres terrifiantes sur les murs. Les professeurs sont des trolls, des gnomes et des créatures à plusieurs bras (c'est plus pratique pour écrire au tableau). Alors quelle surprise de voirun jour débarquer une nouvelle enseignante humaine ! Qu'est-ce qu'on va bien pouvoir apprendre avec elle ?! Le premier cours de Mademoiselle Lupin est attendu avec impatience. Les jeunes créatures s'installent, sortent leurs cahiers et leurs stylos, curieux de savoir ce que va leur raconter la nouvelle.
« Bienvenue à tous, les enfants, commence Mademoiselle Lupin. Votre travail sera de faire peur à tout le monde, de hanter des châteaux et des forêts, de vous cacher dans des placards et de faire des farces humains. Qui donc mieux qu'une humaine pour vous enseigner ce qui nous fait trembler ? »
Incroyable, les petits monstres n'avaient jamais pensé à ça ! Avec un tel cours, ils vont devenir les meilleurs monstres du monde !

L'elfe et le Lac Vert

Elvin le petit elfe adorait venir au Lac Vert. Plantes, insectes et poissons n'avaient pas de secrets pour lui. Il se rêvait elfe des eaux, mais dans sa famille, on était elfe de forêt…

L'heure était venue pour lui de suivre son destin, bientôt il ne reviendrait plus au Lac Vert. Un roseau lui fit remarquer qu'il pouvait demander audience au Grand Conseil des Trois Esprits… Les trois sages régissaient la vie de la nature autour du lac et de la forêt, ça ne coûtait rien d'essayer. Elvin se redressa et dès le lendemain, il envoya une libellule-coursier. Il obtint rendez-vous deux jours plus tard.

En arrivant devant le Grand Conseil, il se sentit bien petit face aux trois doyens.
« Alors comme ça, tu veux devenir elfe des eaux ? demanda le Premier Esprit. As-tu conscience des responsabilités ? Veiller sur la faune, la flore, s'assurer que tout est préservé…
– Je travaillerai dur…
– Pourquoi veux-tu devenir l'elfe du Lac Vert ? demanda le Deuxième Esprit.
– Parce que c'est le plus bel endroit au monde et que je l'aime. »

Les Trois Esprits sourirent et d'un coup de marteau, le Troisième Esprit frappa sur le bureau.
« C'est tout ce que nous voulions entendre ! Elvin, te voici nommé Elfe du Lac Vert. Prends-en bien soin et garde toujours en tête ta mission. »
Elvin n'en croyait pas ses oreilles. Dès lors, il fut l'elfe protecteur le plus consciencieux que l'on n'ait jamais vu.

Les ailes de Capucine

Capucine est une petite fée qui rêve de s'envoler. Mais elle est trop jeune pour avoir des ailes, ça serait trop dangereux. Tous les matins, quand arrive l'heure de la cueillette, elle remplit son panier des fleurs qu'elle ramasse aux pieds des arbres. Elle admire ses grandes sœurs qui peuvent voler et cueillir, sur les plus hautes branches, de jolis fruits. Alors Capucine invente des stratagèmes. Elle se confectionne des ailes avec des vieilles branches entourées de fougères qu'elle fixe à ses poignets. Elle court aussi vite qu'elle le peut en battant des bras, mais elle finit essoufflée, sans jamais réussir à décoller !

Elle se jette ensuite d'un rocher, avec une grande feuille de palmier, mais c'est de justesse qu'une de ses sœurs la rattrape, avant qu'elle ne tombe dans la rivière ! Capucine doit se faire une raison et apprendre à patienter.

Un beau matin, la magie opère enfin. Alors qu'elle fête ses dix ans, ses sœurs lui offrent un joli paquet. Elle défait les papiers bulles et les rubans colorés et découvre un parchemin portant une inscription gravée en lettres d'or.

Capucine lit la formule. Un immense halo étoilé l'encercle tout à coup. Elle sent comme un souffle dans son dos. Émerveillée, elle découvre une magnifique paire d'ailes rosées. Pour la première fois, elle prend son élan et peut s'envoler, sans danger. Son rêve s'est enfin réalisé, elle est devenue une grande fée.

Fantôme motivé cherche maison à hanter...

Fanzy était un jeune fantôme plein de vie. Il était le meilleur élève de son école, connaissait par cœur les histoires les plus noires et savait effrayer les humains comme personne. Mais Fanzy était aussi très gentil et, en réalité, il n'aimait pas vraiment être un expert en terreur. Il aurait préféré faire des blagues amusantes et devenir copains avec les humains. Lorsqu'il atteint l'âge de 150 ans, il dut trouver du travail. Il se présenta pour un premier entretien dans un très vieux manoir.

« Alors, M. Fanzy, vous êtes expert en terreur à ce que je vois, déclara le directeur tout en lisant ses résultats scolaires. Vous savez donc utiliser les chaînes et les boulets qu'on met aux pieds ?

– Et bien... commença Fanzy. En vérité, j'aurais préféré porter des chaussures de clown.

– Ça ne fait pas vraiment peur, répondit le directeur. Mais savez-vous pousser des cris terrifiants, comme « Hoouuuuu... » ?

– Oui, admit Fanzy. Mais je préfère rire aux éclats, ah ah !

– Bon, nous vous rappellerons, coupa sèchement le directeur. Je vous dis à bientôt. »
Une fois dehors, Fanzy comprit qu'on n'avait pas aimé son sens de l'humour. Tant pis… Il se dirigea alors vers le train-fantôme d'une fête foraine : c'est là qu'il devait passer son deuxième entretien. Un jeune fantôme lui fit visiter les lieux, qu'il voulait moderniser un peu.
« Tu aurais des idées, toi, pour rendre cet endroit plus… amusant ? » lui demanda-t-il. Fanzy s'empressa de lui présenter sa vision des choses. Finis les chaînes et les boulets… place aux chaussures de clown ! Finis les cris terrifiants… place aux chatouilles et aux éclats de rire ! Le train-fantôme devint l'attraction vedette de la fête foraine. Avec Fanzy, la vie était une vraie partie de rigolade !

La sorcière aux cheveux de cristal

Quand Romana vint au monde, on fut surpris de découvrir que ses cheveux étaient de cristal. Sa mère et ses sœurs sorcières avaient toutes une chevelure de fil de fer, alors comment expliquer cette affaire ?! En grandissant, Romana montra d'autres différences. Ses sœurs adoraient la nuit, les araignées et la soupe de chauve-souris, tandis qu'elle aimait le printemps, les papillons et les fruits rouges. Et quand la famille se réunissait pour inventer de nouvelles potions maléfiques, Romana, elle, préparait des remèdes dans son coin.

Devant tant d'incompréhension, Lordocan, le père de Romana, en vint à se demander si elle était vraiment sa fille. Il formait avec son épouse un puissant couple de sorciers, comment avaient-ils pu donner naissance à une fille ressemblant plus à un ange qu'à un démon ? Comme ses sœurs, Romana était née dans une rose noire, il n'y avait donc pas de raison qu'elle ne fut pas une horrible sorcière elle aussi !

Désœuvré, il consulta sa mère. La vieille sorcière avait dépassé les cent vingt ans et elle perdait un peu la tête, mais peut-être aurait-elle une piste. La réponse ne se fit pas attendre. Elle entraîna son fils à l'endroit même où avait poussé la rose dans laquelle Romana était née.

« Ha ha, la voici ta réponse ! Tu as planté ton rosier noir dans une terre à fraises des bois et sous un nid de colombes ! Et observe le ciel... La nuit, l'emplacement précis où a éclos la rose est illuminé directement par la Lune. Tous ces éléments se sont combinés et mon cher Lordocan, la conclusion est limpide : tu as tout simplement donné naissance à une fée ! »

Le vieux sorcier fut soufflé. Romana, une fée...

Depuis, on raconte que les sorciers se sont adoucis et qu'ils adorent à présent les tartes aux fraises des bois !

Le dragon est enrhumé

Ah, si vous aviez connu Alphonso quand il était jeune ! C'était un fier dragon qui n'hésitait pas à enlever une belle princesse ou à vous dévorer un preux chevalier, son écuyer, et le cheval avec. C'est qu'Alphonso était un dragon qui crachait un feu d'enfer. Il n'y en avait pas deux comme lui pour transformer, sur un coup de colère, un village en plat de merguez ou une forêt en cendrier ! Mais Alphonso a vieilli. Il traîne maintenant en chaussons près de sa grotte. Parfois, il descend au village pour acheter des journaux qui racontent la vie des riches princesses et des beaux princes, mais c'est moins drôle qu'avant.

Et, comme Alphonso est vieux, il s'enrhume facilement : ATCHOUM ! et hop le magasin de journaux part en fumée.

Les villageois sont désespérés, mais c'est surtout Rufus, le petit castor, qui est de mauvaise humeur. Rufus est le seul pompier du village. Et, évidemment, à chaque catastrophe provoquée par le dragon, de jour comme de nuit, il doit aller éteindre les incendies. Un soir, Rufus gravit la colline jusqu'à la grotte d'Alphonso, bien décidé à s'expliquer avec lui.

« Entre, lui dit le dragon. Veux-tu boire du jus de grenouille ?

– Non merci, lui dit Rufus. Je viens te voir car la situation est devenue trop difficile pour le village.

– Je sais, lui dit Alphonso, mais tu connais mon âge et ma situation.

– Oui, et c'est pourquoi je voudrais savoir si les dragons crachent aussi de l'eau.

– Bien sûr, mais on ne le leur demande jamais.

– Je pense pouvoir te proposer un travail », lui dit Rufus.

Depuis, il y a deux pompiers dans le village : Rufus et... Alphonso.

Pauvre géant !

Il était une fois un géant si géant qu'il n'avait pas trouvé de chaussures à sa taille. Qui aurait pu fabriquer des sabots ou des baskets aussi longs et aussi larges qu'une vallée ! Ce jour-là, il allait voir sa grand-mère qui habitait très loin. Notre géant dut s'arrêter plusieurs fois pour se reposer, parce qu'il avait mal aux pieds. Il était là, assis avec les nuages au ras du nez, quand un bruit étrange lui fit lever la tête. Il ressentit une légère piqûre à l'œil. Machinalement, il leva la main pour frotter sa paupière et, au passage, renversa toute une forêt. Les animaux s'enfuirent dans tous les sens. Un petit singe qui croyait se réfugier sur une colline grimpa sur le pied du géant. Comme il y avait une drôle d'odeur, il continua de grimper. Il n'osait plus regarder en bas tant c'était haut ! Enfin il arriva sur un plateau sans herbe. C'était la main du géant. « Qui es-tu ? » tonna la voix du géant en voyant cette minuscule bestiole.

Le petit singe dut se cramponner à un poil pour ne pas tomber.
« Excusez-moi, je ne fais que passer...
– J'ai besoin d'aide, murmura le géant pour ne pas effrayer l'animal.
J'ai quelque chose dans l'œil. Peux-tu regarder ?
– Certainement, répondit le petit singe, mais comment aller là-haut ? »
Le géant leva la main jusqu'à ses yeux.
« Alors, dit-il ? Tu vois quelque chose ?
– Comment ne pas le voir, répondit le petit singe, c'est un avion ! Approchez encore votre doigt, je crois qu'il y a des passagers qui veulent descendre ! »

Le trésor du farfadet

Les farfadets, comme tu le sais sans doute, cachent toujours un trésor. Il suffit d'en capturer un pour devenir riche. Oui, mais voilà, les farfadets sont aussi des êtres très facétieux : ils adorent faire des blagues ! Et ça, Adam l'ignorait.

Adam était un jeune homme qui vivait à la campagne. Un jour qu'il se promenait le long d'un champ, il entendit siffloter. Il s'approcha à pas de loup et vit un drôle de petit être, à peine plus haut qu'un enfant. C'était un farfadet ! Ni une ni deux, Adam l'attrapa.
« Où caches-tu ton trésor ? demanda-t-il au farfadet.
– Si tu me lâches, je te guiderai », lui répondit le petit être.
Ils traversèrent un champ, puis un autre, puis encore un autre et arrivèrent bientôt dans un immense champ de tournesols. Le farfadet s'approcha d'un tournesol et dit :
« Le trésor est ici, juste en dessous.

- Très bien, dit le garçon, je vais marquer l'endroit. »
Il ôta sa casquette et la posa sur le tournesol sous lequel se trouvait le trésor.
« Je vais chercher une pelle, dit-il au farfadet. Promets-moi que tu ne toucheras pas à ma casquette. »
Le farfadet promit. Quand il revint dans le champ, quelque temps après, un étonnant spectacle attendait le garçon : le champ de tournesols s'était transformé en champ de casquettes ! Sur chaque fleur, le farfadet avait posé une casquette identique à celle d'Adam. Impossible de retrouver le trésor ! Eh oui, s'il n'était pas malhonnête, car il avait tenu sa promesse, le farfadet était très farceur...

Histoire des contes de fées

Il était une fois une jolie fée qui adorait les histoires. Elle en connaissait des centaines. Des histoires de monstres, des histoires enchantées, des histoires à faire pleurer, des histoires qui font peur, des histoires interminables, des histoires inachevées. Elle en avait plein la tête et ne savait qu'en faire. Un jour, elle se dit que c'était bien dommage de garder pour elle toutes ces merveilleuses histoires. Elle chercha un moyen d'en faire profiter tous les enfants de la Terre.

Pour l'aider, elle décida d'embaucher tous ses amis de la forêt. La fée leur présenta son projet : écrire un grand livre d'histoires et les colporter jusqu'aux oreilles des hommes. Les petits lutins, les elfes, les gnomes, mais aussi les scarabées, furent enthousiasmés par son idée. Tous se mirent rapidement au travail. Les uns écrivaient, les autres lisaient ou relisaient. Les petits lutins apprirent les histoires par cœur. Puis ils se les récitèrent. Quand leurs petites têtes furent pleines et qu'ils devinrent intarissables, ils s'envolèrent à dos de papillons. Sur leurs ailes, ils partirent à la recherche d'hommes assoupis dans les prés. Quand ils arrivèrent près d'eux, les papillons se posèrent délicatement et les petits lutins leur murmurèrent au creux de l'oreille toutes les histoires qu'ils connaissaient. À leur réveil, les hommes n'eurent qu'une idée : aller raconter toutes ces jolies histoires, qui avaient envahi leur tête comme par magie pendant la sieste.
C'est ainsi que les conteurs apprirent à conter, et les enfants, les contes de fées.

La fillette qui rétrécit

Poussinette était petite, aussi petite qu'une allumette. Elle avait grandi jusqu'à ses six ans puis, du jour au lendemain, plus rien…

Quelque temps plus tard, elle s'était même mise à rétrécir !

Et la coquine était ravie : elle visitait des endroits insoupçonnés comme les tiroirs de la cuisine, les trous de souris et même la malle pleine de trésors, cachée au grenier ! Ses poupées étaient ses meilleures amies et quel bonheur lorsque sa tata lui ramenait des sucreries ! Elle ne mangeait que ça pendant des mois !
Mais Poussinette continuait de rétrécir et se faisait plus discrète.
Si bien qu'un matin, ses parents ne la trouvèrent pas.
« Où es-tu ma chérie ? pleurait maman.
– Viens vite dans mes bras ! » se lamentait papa.
Désespérés, ses parents marchaient sur la pointe des pieds de peur de l'écraser.

Un jour, ils trouvèrent une mini lettre de Poussinette qui disait :

Chère maman, cher papa,
Tout va bien pour moi ! Je fais de grands voyages à travers la maison en compagnie d'autres petites personnes. Pour me voir, rendez-vous chaque soir sur la table de la cuisine.
Poussinette

Et ce soir-là, maman et papa purent enfin embrasser leur fillette. Elle s'installa confortablement sous la loupe et leur raconta ses incroyables voyages miniatures !

Une très vilaine fée

Tout en haut d'une colline vivait une très vilaine fée. Elle occupait ses matinées à inventer des sorts. L'après-midi, elle aimait faire la sieste. De l'autre côté de la vallée, dans un grand château bleu, vivait le géant très bruyant. Tous les matins, il faisait le ménage avec grand tapage. Et tous les après-midi, au moment où la très vilaine fée sautait dans son lit et fermait les yeux, le géant très bruyant aimait danser sur son disque préféré...

La très vilaine fée avait de plus en plus de mal à s'endormir. C'était insupportable !

Ce serait bientôt l'anniversaire du géant. Elle décida de lui fabriquer une carte, où elle écrivit une très méchante formule magique...

« Ce sort devrait marcher », sourit la très vilaine fée. Et elle posta sa lettre.

Le jour de son anniversaire, le géant très bruyant ouvrit sa boîte aux lettres.

« Super ! s'écria-t-il, qui m'écrit ? Oh non ! Je ne sais pas lire ! »

Alors il partit à la recherche de quelqu'un de très intelligent qui savait lire.

« Peux-tu lire ma carte ? demanda-t-il au grand méchant loup.

– Bien sûr », grogna le loup d'un air important, en commençant à lire...

Et soudain Tchak ! Le grand méchant loup se changea… en un timide petit agneau qui courut se cacher. Le géant très bruyant ne savait toujours pas ce que disait sa carte, alors il alla voir le dernier des dragons.

« Peux-tu lire ma carte ? demanda le géant très bruyant.

– Bien sûr », dit le dragon d'un air hautain.

Mais dès qu'il commença à lire, Tchak ! Il se changea… en un petit ver insignifiant qui se tortillait !

Le pauvre géant ne savait toujours pas ce que disait sa carte, alors il alla voir la très vilaine fée.

« Géant ! suffoqua-t-elle, surprise de le voir toujours si grand et si bruyant.

N'as-tu pas reçu ta carte ?

– Si, dit le géant. Mais je ne sais pas lire. Peux-tu m'aider ?

– Je ne vais pas tomber dans ce piège, dit la fée. Trouve quelqu'un d'autre pour te la lire… »

Que tu sois grand, féroce ou effrayant, si tu lis cette carte, tu deviendras tout petit et insignifiant.

Amitiés de la vilaine fée.

Tchak ! Oh ! Oh ! Tu l'as lue toi aussi !